KB103239

# 영화에세이

−film story

머리말

어린시절 내 소일거리라면 책이었다. 풍족하지 못한 살림에도 부모님은 책만은 넉넉히 비치해두셨다. 물론 '전집'류가 대부분이었지만 그렇게라도 나는 어릴 적부터 독서환경이 갖춰진 상황에서 성장하였고 결국엔 작가가 되었다.

책과 함께 내 어린날을 함께 보낸 건 tv '명화극장이었다. 나는 컴컴하고 음울한 유럽영화를 특히 좋아하였고 그때 본 <시벨의 일요일>은 내 생의 최고의 영화로 남았다.
참전군인의 후유증을 앓는 한 남자와 어린 소녀의 사랑인지 우정이 모호한 분위기의 애정 무드가 나의 감각을 리셋하였다.
그리고는 내 생의 또 다른 영화 <엘비라 마디간>을 만났다. 이 영화는  의과대학 정신과에서 자주 과제물로 이용되기도 한다는데, 사랑의 폭력성, 자살의 속성, 인간 이기심의 극한 등을 자연광의 아름다운 북유럽 풍광 속에 애잔하고 시니컬하게 그려냈다.

이 두 영화는 이 책에는 싣지 않았지만 차후 비중을 두어 다루려 한다.

내가 다닌 여고는 당시 옛 프랑스 문화원과 가까운 곳에 자리했고 나는 토요일 수업이 끝나면 교복 차림 그대로 문화원을 찾아 알아듣지도 못하는 프랑스어를 들으며 읽히지도 않는 영어자막을 눈으로 더듬거리며 그렇게 아마추어 영화인으로 자라났다.

이제는 ott라는 환경이 생겨 굳이 극장에 가지 않아도 한 두 달만 기다리면 최신영화를 온라인으로 볼 수 있는 좋은 세상이 되었다.

어릴 적 만큼의 영화에 대한 동경과 몰입은 사라졌어도 틈틈이 영화를 보면서 삶의 비애와 연민을 되새기는 시간을 갖고 있다.

언젠가 페이스북에서 이런 글귀를 읽은 적이 있다.
“I'm alone because I know people”.
충격적 공감으로 와닿은 이 구절을 곱씹으며 이번

영화 에세이집을 쓰게 되었다. 카카오 브런치스토리에 게재한 글을 정리한 것임을 밝힌다.

작품선택은 오롯이 자의적인 것이며 기재되지 않은 참고자료가 있을 수 있다. 인터넷이나 영화 해설에서 많은 부분을 빌어왔고 대부분의 그림은 google에서 가져왔음을 밝힌다.

2024 2.

지은이

박순영

소설가/1인출판<로맹>대표/방송작가

tv단막극 <,어느 흐린날의 사랑>외 다수/라디오
소설집<응언의 사랑><페이크><엑셀>
사회심리학 <재혼하면 행복할까 개정판>(공저)
독서에세이 <연애보다 서툰 나의 독서일기>

차례

<막다른 골목의 추억>
-요시모토 바나나 원작

물리적 가시적 거리를 뛰어넘어 오랜 연애, 사랑이 과연 결혼에 이르는 경우는 얼마나 될까? 궁금해진다. 영화는, 일본에 체류 중인 4년된 애인을 만나러 나고야에 간 유미의 이야기고 거기서 그녀는 애인의 변심, 그의 새여자와 대면하게 된다. 그리고는 상황을 되돌릴수 없다 판단하고 낯선 도시 나고야를 배회한다.
그러다 막다른 골목의 <엔드포인트> 게스트하우스 겸 까페를 발견하고 그곳에서 한동안 지내면서 젊은 주인인 니시야마와 친해진다는 내용이다. 그 니시야마 역시 어린 시절 학대 아동이라는 어두운 과거를 지닌 인물로 슬픈 현재를 겪고 있는 유미와 일맥상통하는 데가 있다.

어렴풋이 기억나는 건, 소설에서는 니시야마가 유미의 옛남자 태규로부터, 유미의 돈 100만엔으로 산 차를 돌려받는 과정이 박진감있게 그려졌던 거 같은

데 그 부분이 영화에서는 생략돼 조금은 아쉬웠다.

(아니면 내가 다른 이야기와 혼동할 수도 있다)

사랑은 과연 모든 걸 뛰어넘는 명제며 절대 진리가 될수  있을까? 그 과정에서 받은 상처는 어떻게 누군가에 의해 치료될 수 있을까? 그리고 살아온 내력이 다른 낯선이들 사이에 진실한 우정이 생겨날 수 있을까,하는 질문에 대한 해답을 영화는 섬세하고 조용하게 그려내고 있다.

영화 막다른 골목의 추억

유미는 니시야마에게 진한 우정을 느끼지만, 그는 어릴적부터 온동네의 관심을 끌어온 자신의 삶이 귀

찮고 버거워 대도시로 떠나기로 한다. 이렇게 타인의 관심과 치유를 갈구하는 사람이 있는가 하면 그것이 장시간 계속 될때 인간은 그에 감사하면서도 피로감을 느낀다는 예리한 시선이 투영되었다.

원작자 요시모토 바나나를 처음 접한 건 오래전 그녀의 데뷔작 <키친> 속에 수록된 <달빛 그림자>를 접하면서 부터였다. 이후 그녀의 책이 출간될 때마다 거의 다 사서 읽을 만큼 열혈팬이었고 이야기들이 어쩌면 다 비슷비슷하다고 느끼면서도 여전히 오랜 친구처럼 그녀의 신간을 기다린다.

바나나가 늘 이야기하는 것은, 만남과 헤어짐, 상처와 치유, 그리고 또 다른 만남에서 싹트는 새로운 우정과 사랑, 평온해 보이는 일상 속 인간의 잔인한 속성, 그리고 오컬트적 삶의 신비가 아닌가 싶다.

유미는 정을 나눈 니시야마와 이렇게 다시 이별하고 태규로부터 니시야마가 가져온 그 차를 폐차시키고 한국으로 돌아왔을 것이다. 그리고 시간이 흐른후 또다른 사랑을 했을테고, 그러면서 그녀의 기억에서 니시야마 또한 지워져갔으리라...

이렇게 고정되고 영원한 건 없다는, 어쩌면 삶의 무상함, 그래서 더더욱 아름답게 빛나는 '순간', 이것이 요시모토 바나나의 작품세계를 관통하는 테마가 아닌가 한다.

타이틀 막다른 골목의 추억

memories of a dead point, 한국,2019

감독 최현영

주연 수영, 타나카 슌스케

러닝타임 89분

<파주>
-형부와 처제의 사랑

예전에 tv에서 <눈사람>이라는 드라마를 본 적이 있다. 형부와 처제의 길고 사연 많은 사랑의 여정을 그려낸 수작이었는데 그래서 또한 뭇매를 맞기도 하였다.

<파주>역시 죽은 언니의 남편인 중식과 아내의 동생인 은모의 길고 굴곡진 사랑의 행로를 그리고 있다. 거기다 예전 파주가 지금의 모습으로 거듭나던 과정에 일어난 원주민들과의 마찰, 그들의 고통과 저항이 그려지고 있다. 삶의 터전을 잃고 외지로 내몰려야 하는 그들의 고단한 삶에 신의 존재마저 위로가 되지 않는다.

순차적 진행이 아니어서 잠시 맥이 끊어지는 부분이 있긴 하지만 그런 부분은 뒤에서 친절하게 플래쉬백으로 설명된다.

영화 파주

젊은시절 운동권으로 지낸 중식은 파주 철거 현장에서도 투사의 면모를 보이지만 단단해 보이는 그의 안에는 가스 폭발로 가버린 아내 은수의 단 하나 혈육인 은모에 대한 그리움이 꿈틀거리고 있다. 그러던 그가 은모를 지켜주려 행한 일련의 행위는 그를 보험사기꾼으로 몰고 간다.

영화는 비교적 단순한 플롯을 바탕으로 그리 어렵지 않게 진행된다. 그덕에 두시간여의 러닝타임 또한 그닥 길다는 느낌을 주지 않는다.
철거현장의 생생한 재현, 그 속에서 가망 없는 투쟁

을 벌이는 원주민들.
이런 설정은 삶이라는 불가항력에 맞서고 쓰러지고 결국엔 패배하고 마는 인간군상을 그려낸 것으로 풀이된다.

이렇게 <파주>는 고단한 삶의 여정을 두 가지로 집약해 보여준다. 하나는 '금지된 사랑'을 그리고 또 하나는 '삶이라는 감옥에 갇힌 인간존재'를.
난해하지 않은 미장센은 영화의 대중성을 가능케 하였고 조금은 자극적인 '처제와 형부의 사랑'이라는 외피는 일종의 당의정 sugarcoated 역할을 한다.

타이틀 파주 , 한국, 2009
감독 박찬욱
주연 이선균 서우
러닝타임 111분

<오베라는 남자>
-화해와 치유의 시간,노년

노년이란 무얼까? 배우자, 친구, 낯익은 것들로 부터 점점 멀어져 가는 과정은 아닐까? 그러면서 또 한편으로는 평생 등을 돌리고 온 것들과 어색하지만 새롭게 화해하는 시간이기도 한 것 같다.

오베라는 60을 코앞에 둔 한 남성의 이야기이자 우리가 노년을 대하는 방식, 그 과정을 지나는 이야기라 할 수 있다. 6개월전 아내를 암으로 잃고난 뒤 그는 다니던 직장애서도 해고 통지를 받고 유일한 낙이라면 매일 아내의 묘비에 꽃을 갖다 놓는 것이다. 그러다 보니 그는 자연히 괴팍해지고 이웃들과 잦은 마찰을 빚는다.

영화 오베라는 남자

이란에서 이민 온 만삭인 여자의 가족, 그리고 예전엔 절친이었으나 지금은 틀어진 옛친구 부부 등과 오베는 이런저런 갈등 관계에 놓여있다. 그런 그들과 부딪치고 조율하고 끝내는 화해해가는 과정이 이 영화의 내러티브고, 그 나름의 평온한 죽음을 맞는 데서 보는 이에게 삶에의 고마움과 무상함을 동시에 느끼게 한다.

오베가 징글징글 싫어하는 부류는 바로 '공무원'인데 그들은 서류와 위정자들이 마음대로 정한 기준과 편견으로 인간의 심성과 위엄을 저울질하고 판단하기 때문이다. 일면 괴팍해보이는 오베지만 그런 그들에 반감을 느끼고 저항한다는 것은 오베 안에 인간에 대한 따스한 연민이 숨쉬고 있음을 말해준다.

그리고 젊은날 아내가 사고로 불구가 된 뒤 그녀의 취업을 위해 백방으로 노력하고 마침내 성공해내는 그 투지에서 우린 삶에의 욕망과 결실을 동시에 읽게 되고 '사랑'이라는 명제 앞에 인간이 해낼 수 있는 노력과 능력의 한계치를 다시 한번 되새기게 된다.

스웨덴영화, 하면 인간 본성의 적나라한 해부와 그것을 바라보는 싸늘한 시선이 주가 되는데 이 영화에도 그런 면이 없지 않지만 보다 더 진정한 인간애 humanism에 초점을 맞춘 느낌이다. 그래서 러닝타임이 끝나고 엔딩 크레딧이 올라갈 때 관객은 뭉클하고 고요한 평화를 느끼면서도 헐리웃 영화의 패턴에서 크게 벗어나지 않았음을 알게 된다.

그럼에도 오베가 영화의 말미처럼 자연사하지 않고 자살에 성공했다면 우린 또 어땠을까, 하는 물음표를 던지는 묵직한 영화이기도 하다.

타이틀 오베라는 남자 a man called ove, 스웨덴, 2016
감독 하네스 홀름
주연 롤프 라스가드
러닝타임 116분

<아멜리에>

-세상을 구하는 사랑의 메신저

오드리 토투라는 여배우를 보면 그야말로 '천의 얼굴'을 가진 '천가지 향'을 뿜어내는 배우라는 생각이 든다. 그녀를 가장 먼저 접했던건 <he loves me,he loves me  not>이었다. 옆집 남자가 자기도취에 건넨 장미 한 송이에 여자는 그가 자기를 사랑한다고 믿고 그때부터 애정망상에 빠져들어 온갖 기행을 일삼다 결국은 정신병동에 수감되는 그런 내용의 영화다.

이 <아멜리에>역시 우리들이 흔히 노멀normal이라 부르는 범주의 일상적 행위나 감성은 아니다.

부모와의 인연이 박복했던 아멜리는 성장해서 까페 여직원으로 무료한 일상을 살아가다 자신의 거처에서 어느 날 낡은 상자 하나를 발견하면서부터 삶의 새로운  가능성을 발견해 그것을 실천해나가며 주위 사람들을 행복하게 해주는 천사 같은 존재로 거듭난다. 그러나 막상, 자기 앞에 나타난 남자와의 사랑은 멀고도 지난하기만 한데...

쉽게 읽히는 그런 내용은 아니고, 토투 영화답게 어딘가 독특한 전개와 미장센이 가미된 조금은 컬트적인 영화다.

영화 아멜리에

아무렇지 않게 살아내는 것 같은 모든 사람 안에는 오랜 기다림이 숨어있고 그에 따른 가슴 아픈 기억, 상처들이 내재한다 . 그럼에도 상처받을까 두려워 그들은 쉽게 그 속내를 드러내지 못한다. 하지만 영화말미에 그들의 소원은 이루어진다. 자신을 배반했던 남자가 돌아온다는 소식, 내내 바라보기만 하던 두 남녀의 사랑이 격정적 섹스로 마무리되고 아멜리에 역시 가슴 떨리는 운명의 남자와 사랑을 나눔으로서 비로소 마음의 평화, 세상과의 화해를 이루어낸다.

토투도 1976년생이니 지금은 50이 다 된 중년 배우다. 그녀의 최근 영화를 본 적은 없지만 여전히 조금은 우스꽝스러운, 코믹한 얼굴이고 그래선지 코미디 영화에 자주 등장한다. 하지만 그녀가 주는 웃음 속에는 진한 휴머니즘, 부조리한 타인과의 관계, 삶과의 갈등을 암시하고 그 속에서 고통받는 존재들이 그려진다.

폭력과 섹스, 파괴가 주가 되는 이른바 '블록버스터'에 집중된 우리 영화가 조금은 배워야 할 부분이기도 하며, 이런 '작가영화'에서 토투는 깊은 여운을 남기는 배우라고 생각한다.

우리 안엔 다 꿈이라는 게 있다. 그런데 그것들은 이러저러한 상황과 과거의 트라우마로 인해 병적으로 뒤틀리고 왜곡된 채 우리의 무의식을 지배하고 타인을 지옥이라 여기게 만들고 세상과 불화하게 한다. 그것들과의 조율, 용서와 관용, 그리고는 마침내는 실현돼야 할 '미지의 화해'를 이 영화는 말하고 있다.

어제 본 프랑스 관련 기사에서, 마크롱 대통령이 유대계 모임에 참석했다는 이유로 비난받고 있다는 걸 보고 '관용의 나라'로  알려진 프랑스의 국운도 이제 쇠하고 있다는 느낌을 받았다. 물론 그 관용 (톨레랑스)이 어쩌다보니 다민족국가가 돼서 그 많은 이민족을 달래고 얼르고 지배하기 위해 어거지로 생겨난 것이라 해도, 그래도 테러를 당하면서도 가해자들의 입장을 헤아리려 했던 옛모습에서는 많이 멀어진 건 사실이다.

이렇게 명분과 언행 사이의 괴리, 나와 타인 간의

소통 불가의 세상에서 <아멜리에>는 조금이나마 그런 것들에 반기를 들고 개인이라는 작은 집단들이 부족하나마 힘을 합쳐 세상을 바꿔보자는 시도로 읽힌다.

타이틀 아멜리에 amelie from montmartre
독일,프랑스 2001
감독 장 피에르 쥬네
주연 오드리 토투
러닝타임 121분

<사랑할 때 이야기하는 것들>
-길모퉁이 약국에서 피어난 사랑

오랜만에 한국영화를 보았다.
무자극적인 지극히 보통사람들의 이야기라 공감할 수도 지루할 수도 있는 영화였지만 그래도 남녀 주연배우를 믿고 끝까지 완주했다. 미국 작가 레이먼 카버의 소설 제목을 그대로 빌어다 쓴 것만으로도 감독의 문학적 취향이 잘 드러난다 하겠다.

영화 사랑할 때 이야기하는 것들

인구는 약사라는 번듯한 직업에 인물도 준수한 인물이다 . 그에 반해 혜란은 아버지가 남긴 5억 빚을 갚느라 짝퉁 명품 옷을 파는 인물이다. 이 둘이 약국이라는 공간에서 조우하면서 시작되는 사연 많은 러브스토리이자 휴먼 드라마다.

영화 속 약국이라는 공간은 소탈하고 일상적 이미지의 배우 한석규에게 너무나 잘 스며들었고 <8월의 크리스마스>속 사진관이 주던 정겨움과 아련한 노스탈지아까지 선사했다.

그리고 도회적이며 깔끔한 이미지의 김지수 역시 의상 몇 벌로 2시간여를 버텨내며 외모가 아닌 오로지 연기로 승부를 보겠다는 의지가 강했고 어느 정도 성공했다고 할 수 있다.

일상이 갖는 무게는 과연 어떤 걸까 하는 문제를 제시한 작품인데 해서 그 나름의 작품성도 있고 관객수도 20만을 넘었다니 상업성도 인정받은 셈이다.

거의 매일 지나다니는 약국을 스쳐 갈 때면 하루종일 흰 가운을 입고 그 좁은 공간에서 시간을 보내는 약사들을 보면서, 대다수가 선망하는 직업을 가졌음에도 어딘가 안 됐다는 생각을 곧잘 했는데 이 영화를 보면서 그들 역시 평범한 이웃이고 저마다의 십자가를 지고 살아가는 '지극히 보통의 인간'임을 재확인했다.

인구는 정신질환을 앓고 있는 형 (이한위 분)때문에 첫사랑과의 결혼이 깨진 내력이 있다. 그리고 혜란은 5억이라는 부친의 부채가 남아있다. 이런 둘이 과연 그 장애와 빚을 청산하고 온전한 사랑에 이를 수 있을까라는 단순할 수도 복잡할 수도 있는 문제에 대한 2시간의 단상일 것이다.

인물의 직업이 작품에 미치는 영향 여부를 놓고 볼 때 이 작품은 그 비중이 높았다 할 수 있는데 그것은 약국이라는 제한된 공간에 '묶여있는' 인물을 그림으로써 답답한 삶이라는 '생의 감옥'을 은유한 것이기 때문이다. 혜란 역시 미모에 젊은 육신을 갖고 있지만 죽은 부친이 남긴 수억의 빚 때문에 온전한 자신이 아닌 '가짜'로 살아야 하는 우리 이면의 슬픈 자아를 대변한다 하겠다.

요약하면 이 영화는 '일상의 그늘'을 섬세하고 조근조근하게 그려낸 작품이다.

타이틀　사랑할 때 이야기하는 것들, 2006, 한국
감독 변승욱
주연 한석규 김지수
러닝타임 114분

<하이힐>
-애증과 전이

스페인 영화 <하이힐>은 모녀간의 애증을 통속적인 내러티브를 빌어 표현한다. 거기에 포스트모던적 현란함, 도착, 음울, 그로테스크 미학이 곁들여진다. 굳이 정신분석이나 페미니즘이라는 현학적 차원의 분석을 도입하지 않아도 이해하기 어렵지 않은 이야기다. 자신의 성공과 애정행각을 위해 딸을 내팽개친 엄마, 그 엄마에게 원망과 그리움을 동시에 지니고 마침내 엄마의 옛애인과 결혼한 딸, 그리고는 둘 사이의 장벽인 그 남자(긴장된 관계)를 견뎌내지 못하고 살해하는 딸. 죽음 직전에 딸의 죄를 대신 짊어지고 가는 엄마. 하지만 끝내 고해성사하면서 자신은 무죄임을 밝히려는 엄마의 인간적 ? 이기심, 이 모든 것이 알모도바르 특유의 냉소적이며 서글픈 화법으로 펼쳐진다.

인간은 살기 위해, 생존하기 위해, 가난에서 벗어나기 위해 뒤뚱거리며 여기저기를 서성인다. 그렇게 하루 종일 서성이고 돌아오던 엄마 베키의 하이힐 소리를 들어야만 잠을 잘 수 있었던 베키는 이제 현실적으로 다가온 엄마 베키 (딸의 죄를 대신 짊어지고 가는)의 죽음을 마주하고 비로소 엄마와 화해한다. 비로소 레베카는 베키에게서 벗어나는 것 같다. 그리고는 뱃속의 아이와 에두아르도 (레딸, 도밍게스 판사)와 새 삶을 꾸려나갈 것이다 .그러나 엄마의 죽음은 또다른 자신의 죽음이므로, 베키가 과연 그 새 삶을 긍정적으로 인식하고 살아낼 수 있을지는 의문으로 남는다.

알모도바르를 이해하기 위해선 '모비다'를 이해해야 한다.

프랑코 사후 첫 시기를 휩쓴 무절제와 방종의 분위기가 가라앉은 후, 스페인 대도시에서 의식적으로 유행한 현상을 '모비다 La Movida' 라고 한다. 일종의 문화 운동으로 '흥청거림'으로 번역될 수 있는데 젊은 예술가들이 벌인 언더그라운드 문화에서 유래해 대도시를 중심으로 폭발적으로 번져나갔다. 새롭고 발랄한 감수성을 가진 젊은 화가들, 조각가들, 대중음악가들, 작가들, 영화인들, 사진작가들은 보수적이고 근엄한 도시 마드리드를 세계 문화의 중심지로 바꾸어놓았다. 유럽에서 일어난 1960년대 말 청년 문화에서 소외되었던 스페인의 젊은 세대는 프랑코의 죽음으로 야기된 정치적 해방을 기점으로 펑크락, 히피문화, 마약, 여성과 게이의 해방운동이 뒤섞인 그들 나름의 표현양식을 찾으려 하였다. 그래서 이 '모비다'는 늦게나마 스페인의 젊은 세대가 세계적 조류에 합류한 것을 의미하기도 한다.

'모비다'의 주역들은 연령적으로 프랑코 시대 문화 주역들보다 어렸기 때문에 프랑코이즘에 덜 오염된 세대이며 제대로 교육받지 못했고 경제적으로도 중산층 이하 가정 출신들이 많았다. 그런 이유로 이들은 전세대 엘리트 예술가들과 미학적 단절을 시도해야 했고 알모도바르가 그 중 하나였다. 그럼에도 1990년대 영화 <하이힐>고전적 휴머니즘으로 복귀하는 현상을 보인다.

페드로 알모도바르 (1949-. 스페인)

요약하면 알모도바르의 영화는 스페인이 급격하게 탈근대의 사회로 진화하는 과정에서의 모순과 긴장을 담아낸 사회적 기록물의 예증이다. 그래서 그의 영화에는 페미니즘, 다문화주의, 가치의 다양성이 혼재한다. 즉, 포스트모더니즘이라는 지형 안에 젠더, 섹슈얼리티, 테크놀로지 (방송을 비롯한 가상, 거짓 현실) 문제들이 어지럽게 얽혀있는 프랑코 이후의 스페인을 이해하는 단서가 된다. 그의 사회적 고뇌는 영화 속에서 잃어버린, 부재하는 가정, 모성애,

약화되거나 전무하다시피하는 마초이즘으로 드러난다. 이런 의미에서 알모도바르의 영화는 매우 도발적이며 저항적이고 전복적이라 할 수 있다.

알모도바르의 1991년작 <하이힐>에 나타난 모녀간의 애증의 문제는 특히 페미적 정신분석에 대응할 때 두드러지는데, 소녀의 어머니에 대한 애증에 대해서는 프로이트를 비롯한 많은 정신분석가들이 언급했고 소년-어머니,보다 소녀-어머니의 관계에서 외디푸스적 관점이 더 두드러졌다.

<하이힐> 속의'고착'을 좀더 보면, 레베카는 어머니 베키에게 병적으로 집착한다. 어릴 때부터 그녀에게 어머니라는 존재는 늘 어딘가로 떠나버릴 것 같은, 사라져버릴 것 같은 존재였고 실제로 또 그러했다. 그만큼 어머니는 늘 무책임하고 불안정한 존재였다. 그럴수록 레베카는 더욱 베키에게 집착하고 그런 집착은 결국 성장해서 결혼하고 난 뒤까지도 계속된다. 어머니의 애인이었던 마누엘과 결혼했다는 것은 물론 그 자체로 새도매저키즘적 성격을 띄지만 어머니의 대체물로 마누엘을 선택했다는 가정도 가능하다. 이렇듯 레베카는 어릴 때부터 줄곧 자

기와 엄마 베키가 둘이 아닌 하나의 존재라 여기고 그 다른 한 부분이 자기로부터 떨어져 나가면 심한 고통을 느꼈다. 레베카가 엄마의 연인들 (계부와 자기의 남편인 마누엘)을 모두 살해한 것만 봐도 그녀의 엄마에 대한 고착은 병적이다.

이런 지독한 집착은 엄마인 베키에게서도 마찬가지다. 그녀의 노래들은 온통 딸에 대한 사랑과 그리움으로 가득 차 있다. 그러나 베키는 겉으로는 딸인 레베카에게 냉정하게 대한다. 그래서 딸이 다가올수록 뒷걸음치는, 마치 이성 간의 연애를 암시하는 듯한 관계를 나타낸다.
 이런 엄마에게 늘 상처를 받아온 레베카가 이 영화에서 피가학증의 가장 전형적인 형태를 취한 것은 바로 엄마의 연인이었던 마누엘과의 결혼이었을 것이다. 마누엘은 전혀 모르고 한 결혼이었지만 어찌됐든 레베카로서는 결과적으로 엄마의 옛 애인을 뺏음으로써 누구보다도 엄마에게 고통을 주었다는 쾌락을 , 그리고 그런 비정상적 관계가 주는 괴로움을 예견했기에 거기서 또한 고통을 느꼈을 것이다.

여기에 적용 가능한 이론이 바로 르네 지라르의 '욕

망의 삼각형'인데, 레베카가 마누엘을 원한 것은 그 마누엘을 엄마인 베키가 사랑했기 때문이다. 즉 모방심리가 그런 상황을 부른 것이다. 그 마누엘이 다시 베키를 유혹하자 레베카는 자포자기하듯 여장 남자 레딸과 정사를 벌인다. 자신이 벌받음으로써 상상 속에서 엄마를 벌한 셈이 되는 것이다.

영화 하이힐

매저키즘은 수동적 상황을 암시하므로 '나는 처벌받고 있다. 나는 매맞고 있다'는 느낌을 준다. 즉 레베카가 마누엘과 결혼한 것은 자신을 '벌 받고 있는 아이'로 상정한 것이다. 그렇게 함으로서 고통과 쾌락을 동시에 느꼈고 들뢰즈에 의하면 , 매저키즘적 자아가 초자아에 의해 짓밟히는 것은 단지 표면적인 것이다. 즉, 연약하다고 주장하는 자아 뒤에는 무례함과 유머, 불굴의 저항과 궁극적 승리가 숨어있다는 것이 이야긴데 그러기 위해 매저키스트는 환상속으로의 도피를 선택하는 물신숭배의 형태를 취한다.

<하이힐>에서의 레베카는 겉으로는 결코 강한 여자가 아니다. 어릴 때부터 줄곧 엄마에게 의존적인 삶을 살아온 그녀의 허약함은 남편으로 엄마의 애인(엄마의 대체물로도 해석이 가능한)을 택한 것에서도 잘 드러난다. 그러나 그런 그녀가 남자를 둘이나 죽이는 일을 감행한 것은 가히 팜므파탈적이다.
어릴적, 자신을 상품처럼 취급한 계부에게 수면제가 든 음료를 마시게 해서 결국 차 사고로 죽게 하고 남편인 마누엘은 직접 살해(총)하였다. 즉 '벌받고 있는 아이'의 내면은 응고된 애증의 감정, 언제든 꼭 복수하겠다는 다짐과 충동이 복합적으로 얽혀 있는 것이다. 그리고 이런 레베카는 레딸이라는 여장남자(역시 엄마의 대체물이라 할 수 있는)와 가까이 지

내는 이른바 정신적 페티시즘에 빠진다. 그리고 이야기의 배경이 되는 방송계 또한 물신으로 해석가능하다.

다음은 '전이'의 문젠데, 레딸에게서 엄마를 느끼는 레베카, 수사를 맡은 도밍게스 판사의 레딸 (여장남자)로의 전이, 레베카와 마누엘의 결혼, 레즈비언들, 이 모두가 전이의 현상들이다. 이런 것은 들뢰즈의 '되기'로 해석되고, 그것은 차이'의 적극성에 대한 긍정이며 변형의 복수적이고 항구적 과정을 의미한다. 목적론적 질서나 고정된 정체성들은 복수적인 '되기'의 흐름flux을 위해서 폐기된다. 과정, 역동적인 상호작용, 유동적인 경계들에 대한 이러한 강조는 생기론 vitalism적 하이테크 유물론이며, 이는 들뢰즈의 사유가 후기 산업주의 가부장 문화 분석에 매우 유효한 것임을 증명한다.

그럼에도 들뢰즈는 본질적으로 남근중심적 사유에서 크게 벗어나지 못했다. 그러나 리좀 , 되기, 탈주선의 개념은 니체에서 연유해 들뢰즈를 거쳐 현대적 사유에 지대한 영향을 끼쳤다.
들뢰즈는 특히 일반적인 소수자-되기, 유목민-되기

혹은 분자적으로-되기를 강조한다. 소수자란 가로지르기 crossing, 혹은 궤적을 나타낸다. 들뢰즈에게 있어 중심에서는 아무 일도 일어나지 않는다. 중요한 것은 주변, 그 주변들의 이동이다. 이것을 체화한 것이 알모도바르의 걸작 <하이힐>은 아닐까?

타이틀 하이힐 high heels, 1991. 스페인
감독 페드로 알모도바르
주연 빅토리아 아브릴
러닝타임 108분

참고자료-

영화 <하이힐> (1991. 비디오)
여성문화이론연구소 정신분석세미나팀. 페미니즘과 정신분석. 서울:여이연.2003.
Rosemarie Tong 지음, 이소영 옮김. 페미니즘 사상-종합적 접근. 서울:한신문화사 1997
나지오 지음 , 표원경 옮김. 히스테리의 정신분석. 서울:백의. 2001.
로지 브라이도티 지음,박미선 옮김. 유목적 주체. 서울:여이연. 2004.

서인숙, 씨네 페미니즘의 이론과 비평. 서울:책과 길. 2003.

존힐 외 엮음, 안정효 외 옮김, 세계영화연구. 서울:현암사. 2004.

피종호 외. 유럽영화예술. 서울:한울. 2003.

씨네21엮음. 영화감독사전. 서울:한겨레 신문사. 2002.

라깡과 정신분석학회편. 우리시대의 욕망읽기-정신분석과 문화. 서울:문예출판사. 1999.

이신영. <포스트모던 페미니즘을 통해 본 '몸'양식과 현대 패션의 관계에 대한 연구>. 2001. 성대 대학원 의상학과 석사논문, 2001.

<he loves me, he loves me  not>
–애정망상

영화는 본질적으로 대중적이다. 영화에서 말하는 대중성이란 예술성에 대비되는 상업성을 뜻한다

.

예술 영화를 요약한다면  사회, 심리적, 인간에 대한 보다 복잡하고 깊은 통찰을 전제로 한다. 그에 반해 상업 영화는 볼거리로서의 영화, 가부장적  패러다임을  따른 여성의 물신화에서 비롯되는 상품화된 여성을 보여주는 영화 , 자극적이고 빠른 스토리와 영상 등으로 정의 내릴 수 있다.  그러나 어느 영화든 두가지의 중첩이라 보면 타당하다.

그런 의미에서 이 프랑스 영화  <he loves me, he loves me not>은 예술영화와 상업영화가  다행스럽게 조우한 경우이다. 꽃잎을 하나하나 뜯어가며 ‘그가 나를 사랑할까? 아닐까?’를 점치는 아름다운 소녀적 상상력에서부터 영화는 강한 통속성을 띈다. 그리고 그 대상이 옆집에 사는 매력적이고 유능한 유부남이란 설정은 그런 사랑에의 환상과 동경을 더

욱 강렬하게 만든다. 그리고는 마침내 그와 데이트를 하고 여행 약속도 하는 사랑에 대한 가장 보편적 환상을 관객들에게 깊이 각인시킨다.

그러나 돌연 어느 순간 '그녀'의 시점에서 '그'의 시점으로 옮겨가면서 지금까지 그녀가 말해온 것들이 단순히 그녀만의 착각이었음이 보여진다. 그리고 이것은 살인까지 부른다.

영화 장르를 관음적 매체라고 한다. 이 영화에서 관음의 주체는 여성이다. 영화를 라캉의 용어를 빌어 거울 단계의 자기인식으로 보는데. 거울 속 자기를 실제의 자기로, 즉 타자를 자기로 인식하는 잘못된 자기인식의 단계가 그것이다.

영화 <he loves me...>는  멜러드라마가 주를 이루면서 팜므파탈적 요소와 느와르적 요소까지 합쳐진 퓨전영화의 형태를 보여준다.  가부장적 정신분석의 흔적이 엿보이고 그런가 하면 푸코적 성性 담론도 드러난다. 또한 포스트모더니즘과 결합한 포스트 페미니즘까지 가세해 매우 재밌으면서도 복잡다단한 영화라는 인상을 심어준다.

영화 he loves me ,he loves me not

미술학도인 20대의 안젤리크는 남의 집을 봐주기로 한 것이 계기가 돼서 그 옆집에 사는 심장전문의 루이를 알게 되고 어느날 그가 무심코 건넨 장미 한 송이를 사랑 고백으로 여기고 집요하게 그에 대한 애정망상을 펼쳐나간다. 하지만 그에게는 변호사인 아내가 있고 더군다나 임신까지 한 상태다. 하지만 안젤리크는 그 임신이 거짓이라 믿고 그녀를 스쿠터로 치어 유산시킨다. 그 일로 루이 부부는 사이가 벌어지게 되고 그런 와중에도 안젤리크는 익명으로 루이에게 꽃과 그림 선물을 계속한다.
그러다 어느 날 그림 뒤에 적힌 그녀의 메모를 읽게 된 루이의 아내가 오해를 해서 집을 나가게 된다. 이제 루이와 약속한 (망상) 플로렌스 여행이 가능해졌다고 생각한 안젤리크는 공항에서 그를 기다리지만 루이는 오지 않는다. 그리고는 TV에서 그가 여환자를 폭행해 기소당했다는 뉴스를 접하고 그녀(여환자)를 찾아가 살해까지 한다...

루이의 말 중에 '우린 만난 적도 없는 사람들'이라는 대사가 있다. 그만큼 루이는 안젤리크에게 철저한 타인이었던 것이다. 그녀는 정신병동에 갇히고 몇해 후, 자신의 모든 일이 다 망상이었다고 말해 퇴원하지만....

멜러드라마는 고도의 감상주의를 특징으로 한다. 원초적이고 단순한 감정들의 극대화를 꾀하는데 이런 것을 '과잉'이라 한다. 이런 것들은 극단적 행동과 사건들, 우연의 일치나 운명적 엇갈림, 과장된 연기, 비사실적 조명과 세팅, 의상 같은 미장센적 요소, 음악 등이 함께 어우러져 이루어낸다.

정신분석학과 멜러드라마는 가족 안에서의 개인의 정체성 문제나 주관적 욕망을 다룬다는 점에서 유사하다. 전자는 가부장제 아래에서 억압받는 섹슈얼리티의 문제를 제기했고 , 멜러드라마는 자본주의 하에서 억압된 욕망을 다루고 이러한 욕망과 갈등의 충돌현장이라는 결론이 나온다.

영화에서 '그'는 '그녀'가 누군지를 알지 못하고 알려 하지도 않는다. 여기서 그녀의 소망(욕망)과 현실세계가 충돌한다. 그럼에도 그녀는 그를 위해 두 번이나 살인을 한다. 그를 위해서는 무엇이든 희생할 수 있다는 , 남자를 위해 희생하는 여자라는 멜러드라마의 철저한 가부장적, 남근중심주의 규칙을 따르고 있다.

그러나 영화의 결말이 비록 남자의 승리>로 끝난다 해도, 그리고 이런 공식이 바로 느와르 영화의 단골 결말이라 해도 그 과정에서 여자의 저항은 결코 사소한 것이 아니다. 안젤리크를 팜므파탈로 몰아간 것은 루이에 대한 그녀의 사랑인 것처럼 보이지만 사실은' 남성중심사회에 대한 여성의 저항'으로 읽힐 수 있고 사회적 관점에서 본다면 '가진 자에 대한 결핍된 자의 저항'으로 읽힐 수 있다. 그러기에 가진 자들의 눈엔 '왜곡된 욕망'으로 비춰지는 것이다. 이런 비주류 속엔 결핍된 자와 여성이 포함된다는 페미니즘적 요소가 녹아있고 애정망상증이라는 매우 애매한 광기를 도구로 쓴 부조리극이라 할 수 있다.

망상은 여러 가지로 분류될 수 있는데 피해망상, 과대망상, 조정망상, 부정망상, 그리고 저명인사나 연예인이 자신을 사랑한다고 믿는 애정망상, 외계인이나 영적 존재 또는 누군가가 자신에게 어떤 생각을 주입하고 있다고 믿는 사고투입 등의 다양한 것들이 있다. 그리고 이 망상은 편집증과 곧잘 결합한다.

그런데 이런 관점에서 안젤리크는 진짜 미친 걸까? 여기서 푸코의 광기 이론을 살펴볼 필요가 있다. 푸코는 성을 권력과 연관지었다. 그에게 순진한 지식은 없다고 생각되었다. 지식은 알게 모르게 어떻게든 권력과 관계를 맺는 것이라 했다. 여기서 파생된 또 다른 개념이 바로 '성sexuality과 권력power'

의 문제이다.
푸코를 논하기 전, 우선 포스트모더니즘이 어떻게 페미니즘과 결합될 수 있었는지를 보면, 반 본질적이며 다양성을 테제로 하는 포스트모더니즘이 후기구조주의적 사고와 결합되면서 페미니스트들의 눈길을 끌었기 때문이다.

안젤리크가 정신병원에 수용돼있는 동안 루이는 바깥에서 아내와 아이 둘을 낳고 전보다 더 행복하게 살아간다. 그녀는 당대와 사회가 용인하지 않은 일탈된 욕망을 가진 죄로 인해 광인 취급을 당한다. 이것이 푸코의 광인론과 연결되는 대목이며 그렇다면 안젤리크를 딱히 광인이라 부를 수 없는 이유가 되기도 한다.

끝으로 , 장난치듯 장미 한 송이를 건넨 루이의 행동은 과연 정상이었을까, 당대가 용인하는 것은 언제나 권력층과 가진 자의 이데올로기에 의해 정의된다는 것을 감안할 때, 이 영화가 사랑이라는 지극히 통속적 소재를 갖고 인간의 삶을 얼마나 다각적으로 들여다보았는지를 실감하게 된다. 이런 것들이 멜러드라마의 규칙을 따라 차근차근 전개된다. 즉,

자본주의 중산층의 허위의식을 감상과 눈물, 여성의 희생으로 풀어내고 있는 것이다.

요약하면 이 영화는 라캉의 용어를 빌려 ' 바라보기에서 비롯된 그릇된 욕망'을 말하고 있다. 이 '그릇됨'은 물론 결핍된 자의 욕망이기에 그렇다. 그리고 그 욕망이 얼마나 현실 속에서 무섭게 깨져버리는지를 보여 준다.

사랑받고 싶다는 욕망은 사랑받고 있지 못하다는 이야기다. 거세된 욕망을 채우려는 안타까운 시도가 바로 사랑이다.  그렇다면 안젤리크는 이미 '그'에 대한 욕망을 시작하기 이전에 무의식적으로 그와의 현실적 사랑이 불가능할 것임을 알고 있었을지 모른다.  그녀의 죄라면 그 욕망과 상상 속에 자기를 방기했다는 것이고  금지된 욕망이기에 더더욱 뜨겁게 달아올랐다.

즉, 영화는 사회가 고립시키는 개인의 문제, 거기서 비롯되는 고독과 그것이 낳는 망상 체계를 보여주었고 고독이 편집증으로 발전한다는 신경질환의 기본 패턴을 제시했다.

예술영화와 상업영화의 대별되는 기준점은 바로 거리두기/몰입 이라고 할 수 있다. 후자가 강한 대중성을 갖는다면 전자는 자기인식과 비판의 두 기능을 동시에 가능케 한다.

다시한번 라캉의 거울 단계를 빌어 표현하자면, 고립된 인간은 거울 속 타자를 자기로 인식하고 그와 내가 하나라고 생각하는 도착상태에 이른다. 그 출발점은 상기한 대로 '고립감'이다. 아무도 돌보지 않기에 거울 속의 타자만이라도 나와 동일시 하는 것이다. 그런 의미에서 이 영화는 사랑에 관한 담론이기 이전에 고독에 관한 , 사랑의 폭력성에 관한 ,삶의 부조리에 관한 이야기라 할 수 있다.

타이틀 he loves me, he loves me not, 프랑스 2002,
감독 레티샤 콜롱바니
주연 오드리 토투
러닝타임 92분

참고자료-서인숙지음, 『씨네 페미니즘의 이론과 비평』. 서울:책과길. 2003. l/ 서인숙지음, 『영화비평의 이론과 실제』.서울: 집문당. 1996 /원호택·이훈진 외, 『이상심리학 시리즈』. 서울:학지사. 2000
한양대학교 연극영화과 편, 『영화예술의 이해』. 한양대학교 출판부. 2000
원용진, 『대중문화의 패러다임』 . 한나래 2002 . /인터넷-예술영화, 프랑스영화, 대중영화...

<그녀에게>
-사랑의 해부

가수인 엄마가 밤늦게 일을 마치고 집에 돌아올 때 내는 하이힐 소리를  들어야만 비로소 잠에 들 수 있는 그 딸의 이야기를 처연하게 보여준 영화 <하이힐>을 몇번이나 돌려보곤 하였다. 나역시 그런 어린 시절을 보냈기 때문이다.

그 외에도 에로스와 타나토노스의 절묘한 결합을 극명하게 보여준 <마타도르> , 그외 <신경쇠약직전의 여자> <내 어머니의 모든 것>등의 영화들을 보았다.요약하면 '색다르고 뒤틀린 영화들'이었다.

<그녀에게> 역시 알모도바르의 특기인 '있는대로 뒤틀어 만든 영화'임은 분명하다. 도착적이고 도발적 성, 사랑이라는 의뭉스러운 감정의 철저한 해부, 강간, 무의식, 현란한 미장센 등이 그것이다. 그럼에도 영화를 다 보고 난 뒤엔 '처연한 아름다움과 슬픔'이

깊이 가슴에 스며든다. 그것이 알모도바르가 현대 영화사의 거장으로 평가받는 이유가 아닌가 한다.

우연히 발레학원 소녀 알리샤를 목격한 남자 간호사 베니뇨는 그녀를 흠모하게 되고 한편 여자 투우사 리디아와 그녀를 취재하기 위해 만난 마르코는 서로가 가진 사랑의 아픔에 공감하면서 사랑에 빠진다. 그러나 알리샤, 리디아 모두 일련의 사건들 때문에 뇌사에 빠지고 그때부터 베니뇨와 마르코의 그녀들에 대한 태도는 극명하게 갈린다.

늘 먼 발치에서 바라보며 속앓이를 해야했던 베니뇨는 이제 온몸을 자신에게 내맡기고 있는 알리샤에게 말을 걸고 그녀를 닦아주고 생리할 땐 타월을 채워주고 그러면서 점점 사랑을 키워가고 끝내는 그녀 안으로 들어가기 (섹스)까지 한다. 즉 강간을 해서 임신을 시킨다.
그러나 마르코는 더이상 자신의 성적 욕구에 응할 수 없게 된 리디아를 점점 소외시키고 멀리하는 반대의 모습을 보여준다. 그러면서 시체나 다름없는 알리샤에게 지극정성을 다하는 베니뇨를 기피하게 된다...
그러나 결국 둘은 화해하고 '사랑'이라는 공통분모로 의기투합하게 되는데...

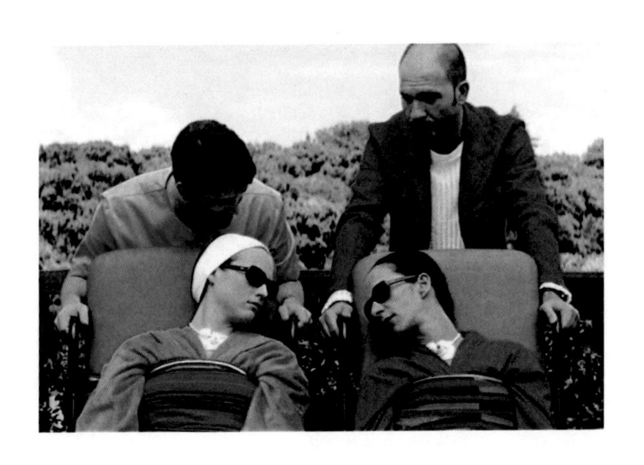

영화 그녀에게

사랑이라 부르는 것의 정체는 혹시 이기주의에서 싹튼 도착적 도발적 성의 욕구에 지나지 않을지 모른다는 생각을 하게 만드는 그런 류의 영화를 알모도바르는 자주 만들고 좋아하는 거 같다. 혹자는 프랑코 사후 혼돈에 빠진 스페인 사회를 대담하게 뒤틀어 표현한 것이라고도 한다.
그러나 굳이 사회적, 정치적 함의를 언급하지 않는다 해도 알모도바르가 그려내는 무의식, 봉합된, 은폐된 인간 내면은 차마 눈뜨고 볼수 없을 만큼 엉망이고 뒤틀려있다.

영화 중반쯤에 보여지는 클로즈업된 여성의 '성기'에 한없이 작아진 '남성이 들어가는' (알리샤의 임신을 은유)신은 보는 이를 너무도 민망하게 만든다. 그것도 롱테이크로 잡고 있다.
그러나 사실 우린 수시로 그런 욕구에 시달리지 않는가. 그리고 그럴 대상이 없을 땐 수도 없이 낯선 이를 범하는 상상을 한다. 즉 정신적 간음, 상상 속 강간을 수도 없이 하는 것이다. 그런 인간의 솔직하면서도 ,치부라 할 수 있는 인정하기 싫어하는, 숨기고 싶어하는 속살을 알모도바르는 여지없이 까발린다. 그것이 알모도바르의 영화 세계고 기법이라 보면 된다.

페드로 알모도바르는 성장기에 수도사에게서 엄격한

카톨릭 교육을 받고 자라났고 '그것은 아더왕의 궁정에 우주 비행복을 입고 다니는'것과 같이 자신에게 어색하고 지겨운 시간이었다고 말하고 있다. 그만큼 그는 기존의 제도나 풍습에 본능적 저항감을 느끼고 그것을 영화라는 도구를 통해 적나라하게 대담하게 솔직하게 그려내는 진정한 휴머니스트이다.

시체 성애나 다름없는 알리샤를 극진히 보살피고 사랑에 빠지는 베니뇨를 보면서 주변의 많은 사랑의 예를 떠올려보았다. 우리들 대부분의 사랑이 저와는 다르게 가는 것같아 마음이 아파쌌.
그런 의미에서 이 영화는 '버려진 사랑에 대한 오마쥬'일지 모른다는 생각을 해본다.

타이틀 hable con ella ( talk to her),
스페인 ,2002
감독 페드로 알모도바르
주연 하비에르 카마라 외
러닝타임 113분

참고자료-페드로 알모도바르 (cine21.com), 외

<폴링 인 러브>
-사랑와 불륜의 영원한 모호함

모든 사랑이 응원받아야 할 필요가 없다면 모든 불륜 또한 싸잡아 비난받을 필요도 없다는 걸 잘 보여준 영화가 이 <폴링 인 러브>다. 각자 가정을 가진 이들의 로맨스니 물론 '불륜'인데 어째 '순정적 사랑'에 더 가까운 느낌을 주었고 그래서 개봉 된지 수십 년이 지났는데도 여태 현대 미국영화의 고전으로 꼽히는지도 모른다.

그러나 1984년 미국 현지 개봉이나 그 후 한국에서 개봉했을 때 관람객 수로 평가되는 성적표는 형편없었다고 한다. 로버트 드니로, 메릴 스트립이라는 20세기 기념비적 배우들이 주연을 맡았음에도 흥행에 참패한 이유는 뭘까, 곰곰히 생각해보면, 그 답을 조금은 알 수 있을 거 같다.

이 영화는 그 어떤 모럴이나 인간이 정한'규칙'을 뛰

어넘는 인간 본연, 본능에 가까운 타자에의 이끌림을 그려냈기 때문이고, 그것은 종종 금기시되기 때문은 아닐까?

크리스마스이브 운명적 조우를 하는 건축기사 프랭크와 아픈 아버지 병간호를 위해 지금은 프리랜서로 일을 하는 상업미술가 몰리는 3개월 후 또다시 재회하고 그들에겐 편한 친구같은 감정이 싹트지만, 서로 호감을 가진 남녀들이 흔히 그러하듯 그들의 감정은 어느샌가 서롤 탐하는 사랑을 향해 커 나간다. 그러나 둘에겐 이미 가정이 있다. 프랭크에겐 원예가인 아내와 개구쟁이 두 아들 그리고 몰리는 태어난 지 5일만에 죽은 아이의 기억을 공유한 의사 남편 브라이언이 있다.
둘의 가정은 평범한 중산층 가정이자 누구도 침범할 수 없는 '요새'처럼 여겨진다.

그러나 프랭크와 몰리의 청초한 만남은 점점 서로의 육체를 갈망하는 사이까지 발전하고 마침내 둘은 프랭크 친구의 '숨은 아지트'인 아파트에서 서로를 안으려 하지만 몰리는 마지막 순간 프랭크를 거절한다...

영화 폴링 인 러브

이 시놉만 보면 그저 그런 로맨스물이려니 할 수 있으나 그렇게 쉽게 요약될 성질의 영화가 아니다. 마치 인간 감정을 놓고 숨은 그림 찾기 놀이를 하는 듯한 느낌에 젖게 한다. 그토록 매혹적이고 아름다운 불륜이라면 그저그런 사랑보다 낫다는 생각마저 들게 한다.

가벼운 농담처럼 시작했던 둘의 만남이 점점 깊이를 더해가고 마침내 성숙하고 운명적 이끌림으로 작용하기까지 작가와 감독은 서두르지 않고 차근차근 감정을 쌓아올렸다. 그러면서도 결코 '지저분한 치정'이 되지 않게 그럴 여지가 되는 것들을 세심하게 가지치기 해서  시나리오 작가를 꿈꾸는 이들에게 멜러물의 좋은 교본이 될만한 작품을 창조해냈다.

21세기를 살아가는 우리에게 책과 글이 외면받듯이 사랑 또한 내쳐지진 않았나를 역으로 생각하게 만드는 영화이기도 한데 불륜이어서, 금지된 사이여서, 이래서 저래서, 우린 어쩌면 '가능할지도 모를 관계와 소중한 감정들'을 피하고 비난하고 놓쳐버리는 건 아닐까, 하는 생각을 하게  만든다.
그런 의미에서 이 영화는 황폐한 시대를 살아가는 감정이 고갈된 우리를 향한 지극히 완곡한 조롱일 수도 있다. "이거 봐. 이게 사랑이야."라고.

캐주얼하고 나이브한 대사며 그것을 발화하는 배우들의 지극히 일상적이고 자연스러운 연기 또한 영화를 빛낸 요소들이다. 너무나 일상적인 풍경 속에서 일어나는 해프닝들이어서 더더욱 친숙하면서도 애틋하고 그 사랑이 뒤틀릴 때 그리도 가슴이 아팠는지 모른다.

그렇게 열렬히 서로를 원한 프랭크와 몰리는 과연 어떻게 됐을까?는 영화를 직접 보면서 확인하는 게 나으리라. 세월이 흘러 이 영화는 미국에서 리메이크 돼서 각광받았다고 한다.

뉴욕 맨해튼을 가로지르는 열차 안의 지극히 평범한 두 남녀의 운명적 만남과 헤어짐은 그 누가 강요하거나 등 떠밀어 일어난 일도 아닌 순수한 삶의 해프닝이자 메마른 우리 삶의 단비일 수 있다. 둘 다 가정있는 사람들이 사랑을 하면 그건 무조건 '불륜'인가?  우리삶이 그리도 단순한 것들로 엮여있는가... 그런 의미에서 '더이상 사랑하지 않는 와이프와 이혼을 택한' 프랭크의 친구를 무조건 비난할 수는 없는 것이다.

사랑 역시 언제 변할지 모르는 감정의 영역에 속한다면, 그 감정이 새로운 방향으로 향하고, 것도 운명적으로 그 길을 가려 한다면 , 그 감정을 존중하고 길을 내주어야 하는건 아닐까? 무조건 '책임'이라는 올가미를 씌워 그것을 억압하려 한다면 우리 삶의 진정한 관용과 향기는 없어질 것이다.

프랭크와 헤어지고 몰리는 아버지를 잃게 된다. 장례를 치르며 그녀가 흘린 눈물은 과연 잃어버린 아버지에 대한 회한일까, 헤어진 프랭크에 대한 그리움일까, 둘 중 어느것이 더 큰 비중을 차지했을까 하는 질문을 영화를 볼 때마다 되풀이하게 된다.

"몰리, 지금 나가면 끝이야. 모든게 끝이라고!"
"가야해..갈거야"

다른 곳으로 떠나는 프랭크를 마지막으로 보기 위해 빗속을 뚫고 나가기 전 몰리가 남편 브라이언에게 던진 말이다. 그걸 보며 가끔은 '선물처럼 찾아온 사랑'이라는 감정에 충실해도 좋다는 생각을 해봤다. 세상 편견이나 룰 따위는 개한테나 줘버리고...

타이틀  폴링인러브 falling in love 미국,1984

감독 울루 그로스바드

주연 로버트 드 니로, 메릴 스트립

러닝타임 106분

<시작은 키스>
-그녀 안 두 개의 방

사람이 남긴 상처는 또 다른 사람으로 치유해야 한다고 한다. 과연 그런가, 그것이 가능할까.
배우자나 친족의 죽음이 남기는 존재를 뒤흔드는 충격과 슬픔, 남겨진 자의 이상징후, 이상행동들은 '정상'으로 본다는 게 의학적 소견이다. 그만큼 그들의 상실 혹은 죽음은 남겨진 자에겐 존재 자체가 뒤집히고 흔들리는 커다란 충격 shock이란 것이다.

이야기는 신혼 시절 불의의 사고로 남편을 잃은 아내 나탈리가 3년 뒤 스웨덴인 부하직원을 만나 벌이는 '자기도 모르게 저지른 키스로 인해 벌어지는 연애 이야기'를  그리고 있다.

오드리 토투라는 어찌보면 지극히 평범한 외모의 직장여성을 주인공으로 내세워 그 공감의 폭을 넓혔다.

나탈리는 3년 전 남편을 잃고 이런저런 애정과 관련된 이상징후를 보이다 3년 뒤 스웨덴인 마르퀴스라는 부하직원의 업무 보고를 받는 자리에서 느닷없는 키스 세례를 퍼붓게 된다. 평소 여성의 대쉬라는 건 거의 받아본 일이 없는 '인기 없는 남자'마르퀴스는 그 사건을 계기로 '연애모드'에 빠져들지만 나탈리는 자신이 기습키스를 했다는 사실조차 잊어버린다. 그런 나탈리의 태도에 당황하고 배신감을 느낀 마르퀴스는 그녀를 피해 다니고 심지어 눈조차 마주치지 않으려 한다. 그러면 그녀쪽에서 그런 그에게 다가오는 줄다리기를 서로 하는데...

둘의 이런 미적지근한 연애코드에 기름을 붓는 이가 있다. 바로 오래 전부터 나탈리를 좋아한 ceo 샤를이 그녀에게 다시 추근대고 , 자기에겐 눈길조차 안주면서 볼품없이 허우대만 커다란 마르퀴스를 좋아하는 나탈리가 이해가 안가고 동시에  마르퀴스에게 질투를 느껴 그를 조롱한다 . 그런 샤를에게 화가 난 나탈리는 해고를 각오하고 그의 뺨을 때리고, 그 일로 그때까지 느슨했던 마르퀴스와 나탈리는 급격히 가까워진다...

영화 시작은 키스

대강의 이야기는 이렇고, 딱히 메시지에 힘을 주지 않으려는 감독 포엥키노스 형제의 진짜 의도는 무엇일까를 생각해보았다.

그것은 서두에서 언급한 사별자의 그녀 안 '두 개의 방'에 관한 이야기라는 결론에 이르게 되는데, 하나는 죽은 배우자나 연인에 대한 꽁꽁 닫혀있는 방이고 또다른 방은 새로운 사람, 새로운 사랑을 갈구하는 그런 방을 말한다. 영화는 이 두 개의 방이 강하게 충돌하면서 이런저런 화학작용을 일으키는 것을 보여주고 있다. 그리고 죽은 자를 산 자가 대신 할 수 있는가, 라는 제법 묵직한 질문을 건네고 있다.

흔히들 청춘기에 죽은 스타는 평생을 청춘의 모습, 그 나이로 기억된다고 하고 실제로 그렇기도 하다. 우리가 제임스 딘을 팔순 노인으로 떠올리는 일이 없는 것처럼.
그처럼 죽음은 망각의 허울을 쓰고 있는 것 같지만 실은 그 어떤 생명의 베일보다도 단단히 똬리를 틀고 있는 그런 절대적 존재이다.

지인 하나는 20년전 먼저 간 아내에 대한 그리움을 여태 떨쳐내지 못해 새 사람을 만나도 쉽게? 연애에 빠져들지 못하고 설령 어느 정도 연애가 진전이 있어도 끝내는 그녀에게서 죽은 아내의 흔적을 찾아내다 여러 번 파투가 났다. 그만큼 사별자의 내면은 복잡하고 옹골차다.

그리고 이 영화는 사별자에 대한 사회적 편견 또한 드러내는데, 사별자는 끝까지 혼자, '정절을 지켜내야 한다'는 말도 안 되는 생각을 뜻한다. 나탈리의 절친인 소피마저 나탈리의 새 애인 마르퀴스를 대할 때 그런 태도를 보인다. 그 외에도 나탈리가 마르퀴스와 연애를 한다는 일은 대서특필할 사건이라도 되는 양 온 사내에 퍼져나가고 그들은 틈나는 대로 그 둘을 '씹어대기'바쁘다.

왜 혼자 남은 이는 영원히 혼자여야 하는가,라는 지극히 모순적이면서도 대 다수의 편견을 이 영화는 냉소적으로 그리고 있다.
그러면서도 클래식한 연애영화의 정석을 따르는데 그것은 ceo샤를의 존재, 즉 '질투'가 사랑의 '촉매'역할을 해준다는 전개가 그렇다.

이 영화는 장르로는 물론 멜러지만, 죽음 뒤에 남은 자의 혹독한 내면의 풍경을 새로운 연애의 시작 이라는 프리즘을 통해 적나라하고 신랄하게 그려낸 심리 영화이기도 하다.

이 영화를 감독한 형제 다비드 포앙키노스와 스테판 포앙키노스는 형제간으로 동생인 다비드는 소설가로도 인기를 끌고 있는데 이 영화 역시 다비드의 원작 소설 la delicatesse에 기반하고 있다.

다비드 포앙키노스 1974-,스테판 포앙키노스 1969-

다비드 포앙키노스는 소르본에서 문학을 전공한 뒤 음악, 미술 등 다양한 장르를 실험, 넘나들며 나름 성공한 작가이자 감독으로 평가받아왔다.

사랑은 무얼까, 배우자의, 연인의 죽음이란 남은 자에게 어떤 충격파와 이상징후를 남길까, 그리고 뒤에 남은 산 자에게 새로운 사람은, 새로운 사랑은 어떤 의미일까, 그렇다면 그것은 어떻게 스며들고 어떤 결말에 이르는가를 곰곰이 되짚어보는 계기가 된 작품이라 할 수 있다.

타이틀 시작은 키스 la delicatesse
　　　프랑스, 2011
감독 다비드 포앙키노스, 스테판 포앙키노스
주연 오드리 토투.
러닝타임 108분

<화차>
-그리운 타자

독일 현대 철학자 헤르만 슈미츠에 의하면 사랑은 감정'과'상황'으로 나뉜다. 이 두 가지는 늘 충돌 가능성을 갖는데, 사랑의 감정은 내밀한 것이어서 당사자는 그 감정에 매달리고 매몰되지만 동시에 대상에게 공동의 상황에 충실할 것을 요구한다. 그래서 감정적 사랑에만 빠져들 때 사랑 자체에서 벗어나 표류할 수 있고 반대로 상황적 사랑만 앞세우면 사랑이 마모될 수 있다며, 이것을 '사랑의 딜레마'라 부르고 있다.

영화 <화차>는 이런 도식에 거의 들어맞는 류의 영화라 할 수 있다. 결혼이 임박한 두 남녀 중 여자가어느날 불쑥 사라져버린다. 즉, 사랑이라는 둘 사이 감정적 사랑은 존재하지만 둘을 둘러싼 서로의 상황이 그들을 분리시킨 것이다.

이야기는 매우 정교하고 흥미롭게 미스터리 형식을 취하며 전개된다.

사라진 약혼녀 선영의 이름을 비롯해 신상 모든 것이 가짜였음을 알게 되는 약혼자 문호. 그는 이 사실 앞에 속수무책으로  좌절하지만 사라진 그녀 찾기를 멈추지 않는다. 전직 형사였지만 뇌물 수수로 퇴사한 사촌 형 종근의 도움으로 점점 그녀에 대한 단서들을 알아가다 어쩌면 그녀가 살인에 연루돼 있을지 모른다는 결론에 이르면서 문호의 마음은 광적인 불안에 시달린다...

여기서 우리는 가까이 있는 '타인'에 대한  인식을 다시 한번 되짚어보게 된다. '타인은 지옥'이라는 말이 있다. 그만큼 존재들은 저마다의 내적 심연을 지니고 웬만해선, 상대가 배우자든 그에 상당하는 상대라 해도 그 '속'을 꺼내 보이지 않는다. 만약, 내 배우자감이 과거에 살인을 저질렀고 향후 같은 짓을 반복할 수도 있는 상황이라면 그래도 그를 선택할지 헤어질지를 고민하지 않을 수 없으리라.

결론은 사랑은 한심할 정도로 유치해서, 그럼에도 많은 이들은 이성적, 합리적 판단을 내릴 수 없을것임을 영화는 보여준다.  살인을 저지른 건 불가피해

서였을 거라고 생각하는 것이다, 적어도 그렇게 믿고 싶어 한다는 뜻이다. 그 이유는 당장 상대를 포기할 수 없기 때문인데, 사랑의 감정에 짓눌린 이성과 그 사랑에 바친 자기의 시간과 물질적 요소들이 뒤엉켜 상대를 내치지 못하는 방어기제로 작용한다는 얘기다.

그러나 그 사랑을 어찌어찌 끌어간다 한들, 그렇게 설혹 결혼에 이른다 한들, 그 결혼생활이 원만하고 행복할까, 하는 질문엔 대다수가 물음표를 던질 것이다. 그만큼 사랑은 상황에 따라 달라지는 변수이자 자기 모순적이어서 곧잘 파국으로 치닫는다.
이 영화는 바로 이 부분에 초점을 맞추고 있다. 물론 미스터리 형식을 띠고 있어 연이어 일어나는 사건들에 주목하면서도 과연 내가 '흠결 있는 타인'을 어느 정도까지 품고 용서하고 받아들일 수 있을까 하는 문제를 던지고 있는 것이다.

영화 화차

영화는, 진실을 다 알고 나서도 선영을 택하려는 문호의 마지막 의지를 보여주지만 선영은 그를 사랑하지 않았다고 매몰차게 말하면서 그 사랑을 거부하는 것으로 끝난다.
이 지점이 바로 슈미츠가 말한 '사랑의 딜레마'이다. 서로 사랑하지만 둘의 상황이 다르기에 어쩔 수없이 충돌하고 깨져버리는.

그렇게 문호는 선영을 잃고 선영은 그렇게 문호를

버리는 이야기가 이 영화의 주된 내러티브다.

유럽 영화식 내러티브에 길들여진 나는 좀처럼 한국 영화를 보는 일이 없다. 그런데 얼마전 어떤 계기가 있어 이 영화를 보게 되었고 감독이 여성이어서 이토록 디테일하게 사랑을 다각적으로 그려내는 게 가능하지 않았나 하는 생각까지 하게 되었다.

익히 알려진대로 일본 여성작가 미야베 미유키의 소설을 원작으로 하면서도 우리 정서에 맞게 새로이 칼라를 입힌 그 센스가 돋보이며 '한여자의 실종쯤은'별거 아닌 걸로 치부되는 현대 거대 사회의 무관심을 드러냈다고도 하겠다.

끝으로 제목 '화차(火車)'의 정확한 의미는 ' 악행을 저지른 망자를 태워 지옥을 향해 달리는 일본 전설 속의 불수레'로 한 번 올라탄 자는 두 번 다시 내릴 수 없다고 한다. 이것은 자아를 상실한 선영이 계속 타인의 목숨을 해하면서까지 새로운 존재로 생존을 계속할 수밖에 없음을, 또 한편 그런 선영임을 알면서도 사랑의 감정으로 계속 품고 뒤쫓는 문호의 심리를 보여준다.

1960년생 원작자 미야베 미유키는 이런 사회의 병폐를 파헤치면서도 인간의 모습을 최대한 따뜻하고 섬세하게 그려내 작품성, 대중성 두가지 모두에서 호평을 받고 있는 작가라 한다. 필자가 아직 원작 <화차>를 읽지 않아서 소설과 영화의 유사점, 차이점을 딱 짚어 이야기할 순 없지만, 거대 사회, 물질만능 사회가 낳는 병폐로서의 상처받은 자아들의 서글픈 이야기라는 것은 매한가지일 것이다.

타이틀　화차 helpless, 한국, 2012
감독 변영주
원작 미야베 미유키
주연 이선균 김민희
러닝타임 117분

https://blog.naver.com/guide_p/222973657654

<행복을 찾아서>
-계급이나 차별이 없는 세상으로

흔히'아메리칸 드림'하면 불굴의 역경을 딛고 자신의 꿈을 이뤄내는 성공담을 상상하게 된다. 이 영화도 그런 맥락에서 크게 벗어나지 않지만, 다른 면이 있다면 그것은 아들에 대한 부성애적 측면이 부각되었다는 것이다.

아메리칸 드림'이 무조건적 물질적  성공을 뜻한다고 생각하면 오산이다. 그것은 계급이나 차별이 없는 세계로의 진입이 가능해져 자신의 능력을 당당히 인정받는 것을 뜻하는 것이다.

이 이야기는 샌프란시스코 할렘가의 노숙자에서 온갖 고생과 노력 끝에 자산가가 된 크리스 가드너의 실화를 바탕으로 하고 있다.
이 영화의 감독은 미국인이 아닌 이탈리안 감독이 맡았는데, 윌 스미스의 강력한 추천에 의한 것이었다고 한다. 그는 서툰 영어로 면접을 봤고 자신의 생각들을 이야기했으며, 미국인 스스로는 그럴 수 없는 아메리칸 드림'의 세세한 면까지 끄집어냈다는 평을 들을 만큼 이 영화를 성공적으로 만들었다.

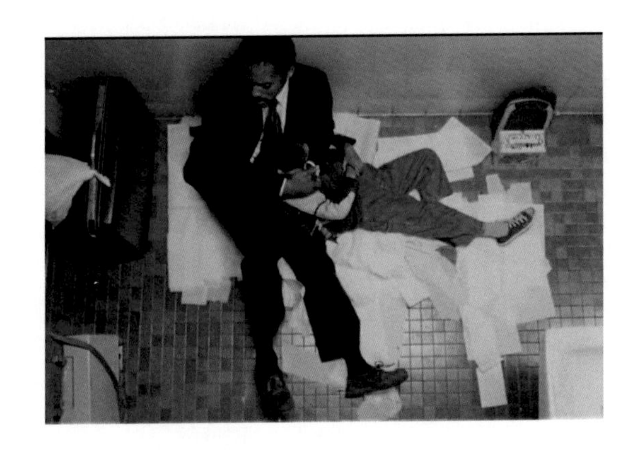

영화 행복을 찾아서

영화는 가난 때문에 아내가 집을 떠나고 어린 아들과 남겨지는 가드너가 낡은 의료기기를 팔기 위해 동분서주하는 것에서 시작된다. 그렇게 외판과 주식중개인 인턴십을 병행하며 극심한 가난에 시달리면서도 어린 아들이 희망을 놓지 않게 끝까지 격려하고 보살피는 눈물겨운 부성을 보여준다. 그렇게 해서 그는 마침내 정식으로 주식중개인이 되고 끝내는 자신의 회사를 설립, 일부를 매각하기까지 하는 전형적은 아메리칸 드림'의 표본을 보여준다.

월세가 밀려 쫓겨난 뒤 싸구려 여관을 전전하고 아이를 재울 곳이 없이 공중 화장실에서 자는가 하면, 방이 제한돼 있는 노숙자를 위한 쉼터를 전전하고, 고장 난 의료기기 부품을 사기 위해 매혈까지 하는 설정 속엔 '가난의 속성'이 그대로 드러난다.

요즘은 이혼하는 부부 사이에 서로 아이를 안 맡겠다고 실랑이를 한다는데 비록 1980년대라는 시차는 있지만, 끝까지 아들을 양육하고 보호하려는 가드너의 눈물 겨운 부성애는 이 영화의 가장 강력한 셀링 포인트가 되고 있다.

1980년대의 샌프란시스코 할렘가를 재현하기 위해 제작진은 많은 노력을 하였다고 한다. 수많은 노점상과 조율하고 80년대 풍경을 재현하기 위해 건물을 새로 단장하는 등의 수고도 마다하지 않았다고 한다.
그리고  흥미로운 것은, 가드너의 아들로 나오는 크리스토퍼가 실제 윌 스미스의 아들 제이든 스미스라는 것이다. 파마머리에 뾰루퉁해지면 불쑥 튀어나오는 입이 귀엽기만한 ,그야말로 조막만한 체구로 아빠의 손에 이끌려 바쁘게 돌아다닌다.
그런가 하면 아빠 윌 스미스는 본래의 지적이고 세련된 이미지를 포기하고 '아줌마 퍼머'에 의도적으로 무채색 계열의 옷만을 입으며 '애써 촌스러워지려 노력'했다고 한다.
그리고 영화 말미, 크리스 가드너 본인이 살짝 까메오로 나와 가드너 부자에게 미소를 던지고 사라지기도 한다.

이 영화는 전형적 헐리웃 영화답게 여분이나 잉여의 화면, 대사가 없이 모든 요소가 저마다의 의미와 이유를 지니고 있다.
그리고 눈 밝은 독자라면 왜 제목의 오자를 바로잡지 않을까, 할텐데, happiness가 아니고 happyness로 쓰여진 부분이 그것이다. 그만큼 시련기의 가드너에겐 '행복'이란 단어가 조금도 변형되거나 부숴지지 않은 완전체로서의 로망이었음을 말해주는 건 아닐까?

참고로 이 영화와는 달리 '아메리칸 드림'의 부작용이나 비극적 측면을 그린 많은 소설, 영화들이 있는데, 대표적으로 아서 밀러의 <세일즈맨의 죽픔> 그리고 로스트 제너레이션의 대표 작인 핏제럴드의 <위대한 개츠비>가 그것이다.

아메리칸 드림'의 이런 양가적인 측면을 고려하면서 이 영화를 본다면 보다 많은 숨은 그림을 찾아낼수 있을 것이다.

타이틀 행복을찾아서 the pursuit of happiness 미국, 2006
감독 가브리엘 무치노
주연 윌 스미스
러닝타임 117분

<수집가>
–결국엔 자신의 여자에게 돌아가는 남자

오래전, 홀로 휴가를 떠난 여자가 한 남자를 만나게 되는 아련하고 촘촘한 내러티브의 영화 <녹색광선>을 본적이 있고 그 영화의 잔상은 지금까지 이어지고 있다. 어느 평자의 말을 빌려면 '자성적 아름다움'이 돋보인 이 영화를 감독한 사람이 누굴까, 하다 그가 바로 프랑스 '누벨바그'영화의 한 기수였던 에릭 로메르라는걸 뒤늦게 알게 되었다.

영화에 조금만 관심 있는 이들이라면 '누벨바그'라는 용어를 자주 접했으리라 . 이것은 1950년대 후반, 기존의 프랑스 영화들의 규범에 반기를 들어 영화의 상업성과 작가주의를 결합하려는 시도로 요약되고 에릭로메르도 이 누벨바그의 한 사람이었다..

소설가이기도 한 에릭로메르는 <여섯개의 도덕이야기>라는 남녀 간의 애정을 변주한 연작집을 출간했고 <수집가>는 그 속에 포함돼있다. 영화 <수집가 la collectionneuse, 1967>는 이 이야기를 바탕으로 에릭로메르가 감독한 영화다.

이미 애인이 있는 남자가 다른 여자에게 매력을 느끼지만 결국은 원래 여자에게로 돌아가는 과정과 심리를 차분하고 가벼운 터치로 그려낸 이야기며 인간의 내면과 인간의 생존법에 대한 언급이 가미된다.

흔히 '모럴리스트'라 불리는 로메르는 이런 과정속에서 남자가 어느 여자를 택했는지의 정당성보다는, 이 과정 속의 남자의 생각의 변화, 심리상태의 변화에 초점을 맞춘다. 그럼으로서 일상의 사소한 부분들은 특별한 의미를 갖게 된다.

'무관심하다는 게 같이 살 수 없는 이유는 아니다'라는 극중 여주인공 아이데의  대사에서 느낄 수 있는 것처럼 삶이든, 남녀 간의 애정이든 인간 의 행위에는 간극이 존재하고 인간의 2/3은 기생하고 쓸모없는 일에 종사한다는 남자주인공 아드리앙의 말은 삶의 공허, 생존의 비열함을 지적하고 있다.

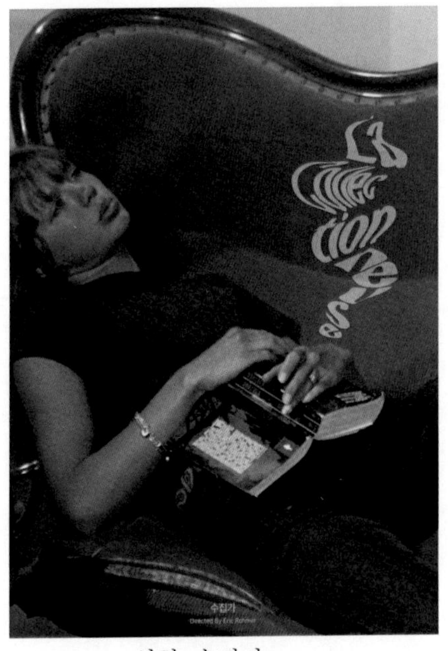


영화 수집가

영화<수집가>의 스토리는 , 애인이 사진 일로 런던으로 떠난 아드리앙이 지인의 집에 초대받아 일어난 일을 묘사하고, 친구 다니엘, 그리고 어리면서 거의 매일 남자를 바꿔 자는 '수집가' 아이데와의 한 달여의 생활을 그린다. 그러다 후반에 다니엘이 그곳을 떠나고 골동품 수집가인 샘이 등장하고 비즈니스를 위해 아이데를 샘의 집에 데리고 가서 샘과 함께 지내게 하면서 아드리앙은 자신의 도덕관 moral에 심각한 회의에 빠진다. 그리고는 샘이 금방 아드리앙에게서 사들인 고가의 화병을 아이데가 깨뜨리면서 이야기는 빠르게 결말로 치닫는다. 아드리앙은 아이데를 샘에게 조공했던 자신의 부도덕한 행위에 염증을 느껴 아이데를 그 집에서 데리고 나와 비로소 온전한 둘만의 사랑을 꿈꾸지만, 도중에 아이데가 다른 남자들과 히히덕거리며 만날 약속을 잡는 걸 보면서 그녀에게 환멸을 느껴 곧바로 그녀를 길위에 버려두고 자기의 숙소로 돌아온다. 그러나 조금 전 이루어진 갑작스런 아이데와의 이별에 아픔을 느껴 고통스러워하다 결국엔 런던에 있는 애인에게 가기로 마음먹는 것으로 영화는 끝난다.

프랑스어에서 'moral(모랄)'이라는 형용사는 도덕적인'이라는 뜻이지만 더 넓게는 물리적인 것과 대립되는, 정신에 관한 것을 뜻한다. 로메르 자신이 책

<도덕이야기> 서문에서 밝혔듯이 이렇게 이름 지은 것은, '구체적, 물리적 사건 없이 거의 모든일이 화자나 주인공의 머릿속에서 일어나기 때문'이라고 설명한다. 그런 의미에서 '도덕이라는 단어를 좀 더 광범위하게, 정신의 경험과 상상의 세계를 다룬 것'으로 이해하는 것이 타당하다.

즉 로메르 자신의 말처럼 ' 사람들의 행동 자체가 아니라 어떤 행동을 하면서 무엇을 생각하는지에 관심이 있는 것'을 잘 보여준 영화가 바로 <수집가>라 할 수 있다. 즉, '특정한 느낌이 분석되고 주인공 자신들 스스로 그 느낌을 분석하는 매우 사유적이고 자성적인 이야기'로 요약될 수 있을 것이다.

에릭 로메르 1920-2010

그런데 문득 이 영화의 진정한 함의는 이런 것이 아닐까,하는 생각도 든다.
영화 <수집가>에서 아드리앙과 그 친구 다니엘은 자신들의 기존의 도덕 관념으로 자유분방하고 성적으로 문란한 아이데를 통제, 지배하려는 태도를 보이지만, 그런 행위 자체가 , 아이데처럼 독립적이고 기존 도덕에 얽매이지 않으려는 자신들의 숨은 욕망을 말하는 건 아닐까 하는 것이고, 이런 인간의 자기모순, 이중성, 도덕의 위선적 측면을 일상적이고 나이브하게 지극히 프랑스적으로 그려냈다고 본다. 이런 추론의 연장선에서 아드리앙이 런던에 있는 약혼녀에게 돌아가는 것 또한 어찌보면 사회가 허용한 내에서의 '안전한 룰'을 택한 결과라 할 수 있으며 또한 길거리에서 다른 남자들과 만날 약속을 잡는 아이데의 거리낌없는 행동에 대한 반격인 동시에 자신은 그만큼의 '용기 있는 삶'을 택할 수 없음을 반증하는 것으로도 풀이된다.

그야말로 윤리교과서에나 나올법한 '도덕'이라는 용어가 이젠 사어死語처럼 돼가고 있지만 실은 우리의 1분 1초가 '도덕적인가 아닌가'의 갈등 속에 이루어지고 있음을 상기한다면, 도덕에 초점을 맞춘 로메르의 혜안은 예리하기만 하다.

영화의 원작이 된 로메르의 책 <여섯 개의 도덕 이야기> 중 <모드에서의 하룻밤>이 영화로 큰 주목을 끌면서 대가로 자리매김했다고 한다.

타이틀 수집가 la collectionneuse 프랑스,1967

감독 에릭 로메르

주연 하이데 폴리토프 외

러닝타임 86분

<멕시칸>
-아메리칸 느와르

이 영화가 유명세를 탄건 영화자체보다도 줄리아 로버츠와 지금의 남편 다니엘 모더가 주연배우와 촬영감독으로 만났던 영화여서가 아닌가 한다. 더이상의 이야기는 그녀의 사생활이니 그만하기로 한다.

영화는 일종의 로드무비 형식으로 진행된다. 샘과 제리는 연인이다. 제리(브래드핏)는 마피아 세계에서 손을 털겠다고 샘(줄리아 로버츠)과 약속하고 여행을 떠나기로 하지만 하필 그때 마피아 상부의 지시가 내려와 '전설의 총 멕시칸'을 찾으러 멕시코로 떠나고 화가 난 샘은 혼자 라스베가스로 떠난다. 그렇게 서사는 각자의 에피소드를 교차하는 방법으로 흘러가다 영화 말미에 하나로 모아진다.

미국 영화를 그다지 좋아하지 않는 나로선 주연들을 확인하고 최소한 지루하진 않겠지, 하는 마음에서 보기 시작했다. 그건 역으로 '뻔한 헐리웃 코드의 영화'겠지 하는 편견을 잔뜩 안고 봤다는 얘기다. 두 시간이 넘는 러닝 타임이 살짝 지루하기도 했지만 '순정적 사랑'이라는 비밀이 얽혀 있는 총 '멕시칸'의 서사는 여타 '헐리웃 영화'의 공식에서 살짝 빗겨나 있다는 느낌을 주었다.

영화 멕시칸

계급이 갈라놓은 슬픈 사랑, 이어진 자살....
이런 서사를 간직한 총 '멕시칸'을 찾아 떠난 거칠고 피곤한 여정...

영화 초반에 잠깐 두 배우가 붙는 신이 보여졌고

끝에 가서야 둘은 다시 붙게 된다. 이런 과감한 설정이 감독의 내공에서 나왔는지 객기에서 나왔는지는 아직도 모르겠지만  선남선녀가 나오는 여타 헐리웃 영화의 코드와 서사를 여지없이 깨버린 것만은 분명하다.  그 덕에 언제 저 둘이 만나나 하는 기대를 계속 갖게 하는 효과는 있었다.

멕시칸 총이라는 스토리와 그것을 손에 넣는 과정을 그린 이야기, 이렇게 영화는 두가지 스토리를 액자 형식으로 박력있게 전개된다. 황당한 모험담으로 끝날 수 있는 컨셉이었음에도  아메리칸  느와르의 걸작으로  평가받는 건 ,샘을 납치했으나 어느정도의 우정을 쌓은 납치범을 과감히 사살해버리는 제리의 태도가 그런 것들이다. 암흑세계에선 그야말로 피도 눈물도 없다는 걸 극명하게 보여준  설정이고 그래서 기억에 남고 그것은 우리의 삶을 축소한 것과도 같다. 죽이지 않으면 내가 죽고마는...

서양인들에게도 역시 순정적 사랑과 의리, 우정,이런 코드는 소중 precious하구나 하는 느낌을 다시한번 확인시켜준 계기가 되었다. 사람 사는 세상, 다 똑같구나, 하는.
미국 영화에 '식상'해 있더라도 이 영화는 꼭 한번 보기를 권한다. 멕시코의 황폐한 풍경만큼이나 삭막하고 메마른 우리 안 사막에 단비를 내려주는, 그래서 향수nostalgia를 불러일으키는 레트로적 매력이 있는 그런 영화다.

줄리아 로버츠 영화는 여럿 본 거 같다. <귀여운 여인> <적과의 동침><노팅힐> <사랑을 위하여>...
그런데 브래드핏을 영화로 접한 건 처음이었다. 비주얼로는 단연코 금세기 최고의 배우인 것 같다. 그런데 개구지면서도 음울한 구석이 있는 묘한 마스크는 반항아면서 영원한 청춘스타 제임스 딘을 소환하는 효과를 낳는다.
이렇게 두 배우 모두 뛰어난 비주얼이 무색하게 허름한 의상 두세벌로 120분을 버틴 건 분명 내공이든 저력이든 그 무엇일텐데 아마도 탄탄한 시나리오에 바탕을 둔 느와르 풍 로드무비에 적절한 미장센을 창조해낸 감독의 역량에 기인하는 건 아닐까.

타이틀　맥시칸 the mexican ,2001, 미국

감독 고어 버빈스키

주연 브래드핏,줄리아로버츠.

러닝타임 123분

영화에세이

-film story

발　행 | 2024년 4월 15일
저　자 | 박순영
펴낸이 | 로맹
펴낸곳 | 로맹
출판사등록 | 2023.12.
주　소 | 서울특별시 성북구 보국문로 30길 15
이메일 | jill99@daum.net
ISBN | 979-11-93896-01-3

www.romainpublish.modoo.at
ⓒ 로맹 2024
본 책은 저작자의 지적 재산으로서 무단 전재와 복제를 금합니다.